Nadine Brun-Cosme et Nathalie Choux

Loup
ne sait pas s'habiller

Père Castor ■ Flammarion

Ce matin-là, Loup se réveille en bâillant,
et c'est comme les autres matins.
Il s'étire, enfile son grand pull rouge et ses souliers un peu crottés, ses préférés,
et c'est comme les autres matins.

Et puis, il se met debout.
Et là, ça n'est pas, mais alors pas du tout comme les autres matins :
ce matin-là, Loup a mal aux pieds.
Et quand il marche, il boite.

Voilà Lapin qui montre son nez.
Dès qu'il le voit, Loup crie :
– Lapin ! Lapin ! Je me souviens…
Hier, quand j'ai voulu t'attraper, c'est toi qui m'as marché sur le pied.
Et maintenant, regarde ! Je boite !

– **Ta, ta, ta,** dit Lapin. Quand tu m'as couru après, je n'avais rien mangé. Alors, quand je t'ai marché sur le pied, j'étais si léger que tu n'as rien senti !
– C'est vrai, dit Loup, c'est vrai !

Et le Loup s'en va. Il boite encore plus.

Et voilà Cochon qui est par là.
Dès qu'il le voit, Loup crie :
– Cochon ! Cochon ! Je me souviens...
Hier, quand j'ai voulu t'attraper, tu m'as poussé si fort que tu m'as fait tomber !
Et maintenant, regarde ! À cause de toi j'ai mal aux pieds !

– Ta, ta, ta, dit Cochon.
Quand je t'ai poussé, tu es tombé à plat ventre !
– C'est vrai, dit Loup, c'est vrai !

Et Loup s'en va.
Et il boite encore plus.

Et voilà Vache qui broute là-bas.
Dès qu'il la voit, Loup crie :
– Vache ! Vache ! Je me souviens...
Hier, quand j'ai voulu te manger, tu m'as lancé un caillou.
Et maintenant, regarde ! À cause de toi j'ai mal aux pieds !

– **Ta, ta, ta,** dit Vache.
Mon caillou, il t'est tombé sur la tête. Pas sur les pieds.
– C'est vrai, dit Loup, c'est vrai.

Et d'un coup, Loup se met à pleurer.
–Mais qui m'a fait si mal aux pieds ? pleure-t-il.

Alors Lapin, Vache et Cochon s'approchent.
Lapin sourit. Il chante :
– *Le bon roi Dagobert...*
– M'en fiche, moi, du roi ! dit Loup. J'ai mal aux pieds !

Cochon sourit. Il dit :
– Loup, écoute donc la suite !

Et il chante à son tour :
– *... a mis sa culotte à l'envers* !
– M'en fiche, moi des culottes, dit Loup. J'ai mal aux pieds !

Mais il dresse quand même l'oreille
et il essuie son nez qui commence à couler.

Vache sourit. Elle dit :
– Loup, écoute quand même !

Et elle chante à son tour :
– *Le bon saint Éloi lui dit : « Oh ! Mon roi !*
Votre Majesté est mal culottée... »
– Et ensuite ? dit Loup en levant le nez, tout à coup très intéressé.

Alors Lapin, Vache et Cochon hurlent en chœur :
– *« C'est vrai, lui dit le roi.*
*Je vais la remettre... à l'***endroit !** *»*

Et puis ils crient :
– Loup, regarde tes pieds !

Loup regarde ses pieds. Et il s'écrie :
– Nom d'un loup ! Mes chaussures !
J'ai ma chaussure droite au pied gauche, et ma chaussure gauche au pied droit !
J'ai mis mes chaussures à l'envers !

Puis il regarde Lapin, Vache et Cochon,
et il dit tout content :
–Alors, ce n'était que ça ! C'était moi !

Vite, Loup défait ses souliers crottés,
puis il met la chaussure droite au pied droit,
la chaussure gauche au pied gauche.
– Voilà ! dit-il, tout content. J'ai remis mes chaussures à l'endroit.

Puis il crie :
– Attention ! Je vais vous attraper !

Mais Lapin, Vache et Cochon ne sont déjà plus là.
Ils sont partis depuis longtemps.